## YR AWDUR

Ganwyd Steve Barlow yn Crewe, Lloegr. Mae e wedi gweithio fel athro, actor, rheolwr llwyfan a phypedwr yn Lloegr, ac yn Botswana, Affrica. Fe gwrddodd â Steve Skidmore mewn ysgol yn Nottingham, a dechreuodd y Ddau Steve ysgrifennu gyda'i gilydd. Mae Steve Barlow yn byw yng Ngwlad yr Haf erbyn hyn, ac yn hwylio cwch o'r enw *Which Way*, oherwydd, fel arfer, does ganddo ddim syniad i ble mae e'n mynd.

Mae Steve Skidmore yn fyrrach ac yn llai blewog na Steve Barlow. Ar ôl pasio rhai arholiadau yn yr ysgol, aeth i Brifysgol Nottingham. Treuliodd y rhan fwyaf o'i amser yno yn gwneud ymarfer corff ac yn gweithio dros yr haf mewn swyddi rhyfedd, gan gynnwys cyfri caeadau pasteiod (wir). Hyfforddodd fel athro, cyn ymuno gyda Steve Barlow a dod yn awdur llawn amser.

Mae rhagor o wybodaeth am y Ddau Steve yma:

www.the2steves.net

## YR ARLUNYDD

Mae Sonia Leong yn byw yng Nghaergrawnt, Lloegr, ac mae hi'n arlunydd *manga* enwog. Enillodd gystadleuaeth 'Sêr Newydd Manga' Tokyopop (2005-06) a'i nofel graffeg gyntaf oedd *Manga Shakespeare: Romeo and Juliet*. Mae hi'n aelod o *Sweatdrop Studios* ac mae ganddi ormod o wobrau o lawer i sôn amdanynt fan hyn.

Ewch i wefan Sonia: www.fyredrake.net

ARWR



# Arwr yr Ymerodraeth

Steve Barlow – Steve Skidmore
Darluniau gan Sonia Leong
Addasiad gan Catrin Hughes

CYFRES ARWR – ARWR YR YMERODRAETH
ISBN 978-1-904357-73-5

Rily Publications Ltd
Blwch Post 20
Hengoed
CF82 7YR

Cyhoeddwyd am y tro cyntaf gan Franklin Watts yn 2008

Cyhoeddwyd yn wreiddiol yn Saesneg fel
*iHero – Save the Empire!* gan Franklin Watts
argraffnod o Hachette Children's Books, un o gwmnïau Hachette UK

Addasiad gan Catrin Hughes

Cynllun y clawr gan Jonathan Hair



*Noddwyd gan Lywodraeth Cynulliad Cymru*

Cysodwyd gan Wasg Dinefwr, Llandybïe, Sir Gaerfyrddin

www.rily.co.uk

Argraffwyd a rhwymwyd yn y Deyrnas Unedig
gan CPI Group (UK) Ltd, Croydon, CR0 4YY

Dewis dy dynged...

Mae'r llyfr hwn yn wahanol i lyfrau eraill y byddi di wedi eu darllen. *Ti* yw arwr yr antur y tro hwn. Ti sy'n penderfynu sut mae'r antur yn datblygu.

Mae rhif ar bob adran o'r llyfr. Ar ddiwedd y rhan fwyaf o'r adrannau, bydd gen ti ddewis. Bydd hynny'n dy arwain di i adran wahanol o'r llyfr.

Bydd rhai dewisiadau yn dy helpu i orffen yr antur yn llwyddiannus. Ond rhaid i ti fod yn ofalus – mae dewis anghywir yn gallu bod yn beryg bywyd!

Os byddi di'n methu, dechreua eto a dysga o dy gamgymeriadau.

Os byddi di'n dewis yn gywir, fe wnei di lwyddo.

Paid â methu, bydda'n arwr!

Mae hi'n fis Medi 1851. Rwyt ti'n dditectif preifat enwog sy'n byw yn Llundain. Pan fydd heddlu Scotland Yard yn methu â datrys trosedd, fe fyddan nhw bob amser yn gofyn i ti eu helpu.

Mae'r Frenhines Fictoria ar yr orsedd, a'r Ymerodraeth Brydeinig yw'r fwyaf yn y byd. Ond mae hi'n gyfnod o densiwn mawr rhwng ein gwlad ni a Rwsia. Mae'r Rwsiaid yn ceisio ymestyn eu pŵer yn y Dwyrain Canol ac Affghanistan, mewn ymdrech i yrru Prydain allan o'r India.

Mae hi hefyd yn flwyddyn yr Arddangosfa Fawr – arddangosfa sydd wedi'i threfnu er mwyn dangos pŵer diwydiannol ein gwlad. Mae'r arddangosfa yn digwydd yn adeilad newydd y Palas Grisial wrth ymyl Hyde Park, ac mae miloedd o bobl o bob rhan o'r byd wedi dod yno.

Mae hi bron yn hanner nos ac rwyt ti'n darllen copi o'r *Illustrated London News* yn dy ystafell pan ddaw cnoc ar y drws. Mae dy howscipar yn dod i mewn ac yn dweud bod dau ŵr bonheddig wrth y drws. Maen nhw eisiau dy weld ar unwaith.

Tybed pwy all fod yn galw mor hwyr y nos? Rwyt ti'n dweud wrthi y caiff hi eu croesawu nhw i'r tŷ.

- **Nawr tro i adran 1**

## 1

Cyn i'r drws agor, rwyt ti'n gwybod mai'r Arolygydd Bowles o Scotland Yard ydy un o'r dynion – rwyt ti'n gallu arogli ei bersawr ofnadwy! Rwyt ti wedi gweithio gydag e ar sawl achos yn y gorffennol. Mae'r drws yn agor ac rwyt ti'n gweld yr Arolygydd Bowles a dyn arall, sy'n edrych ychydig yn gyfarwydd.

Rwyt ti'n dweud, "Helô, Arolygydd. Pam ydych chi'n galw yma mor hwyr y nos? A phwy yw eich cyfaill?"

"Mr Brown yw hwn," mae Bowles yn ateb. "Mae e'n gweithio gyda mi ar fater o ddiogelwch cenedlaethol."

Rwyt ti'n codi un ael. Rwyt ti'n siŵr dy fod wedi gweld llun o 'Mr Brown' yn rhywle yn ddiweddar.

- **Os wyt ti'n meddwl dy fod ti'n gwybod pwy yw Mr Brown, cer i 28**
- **Os nad wyt ti'n gwybod, cer i 14**

## 2

Rwyt ti'n dringo i mewn i'r cerbyd ac yn sylweddoli fod rhywun arall i mewn yno yn barod.

Cyn i ti gael cyfle i wneud dim, mae rhywun yn cydio'n dynn ynot ti ac yn gwasgu hances dros dy geg a dy drwyn. Mae'r hances yn llawn o'r cyffur clorofform. Rwyt ti'n ceisio dal dy anadl, ond does gennyt ti ddim gobaith. Rwyt ti'n anadlu'r cyffur ac yn llewygu.

- **Cer i 48**

## 3

Mae'r Arolygydd yn brysio i ffwrdd wrth i ti symud i'r oriel gerllaw, gan gadw llygad barcud ar y drws.

Mae'r munudau'n mynd heibio. Wrth i ti ddechrau meddwl fod hyn yn wastraff amser, rwyt ti'n gweld dau ddyn yn nesáu. Mae dyn arall, a barf du ganddo, yn dod atyn nhw. Maen nhw'n ysgwyd llaw ac yn symud at ddrws yr arddangosfa ddiemwntau. Mae'n rhaid i ti wneud penderfyniad ar frys.

- **Os wyt ti'n penderfynu saethu'r dyn barfog, cer i 12**
- **Os wyt ti eisiau rhuthro allan a herio'r dynion, cer i 30**
- **Os wyt ti'n penderfynu eu dilyn, cer i 24**

## 4

Rwyt ti'n esgus dy fod ti'n teimlo'n sâl, ac yn taro yn erbyn y bwrdd.

"Mae'n ddrwg gen i ddynion," rwyt ti'n dweud. "Maddeuwch i hen forwr fel fi!"

"Ewch ag e o 'ma!" mae'r dyn barfog yn gweiddi, gan neidio ar ei draed. Mae ei lais yn gyfarwydd. Mae'r dynion eraill yn camu atat ti. Rwyt ti'n gwthio un i'r llawr, ac yn saethu'r llall. Mae'r dyn barfog yn dianc. Rwyt ti'n rhedeg ar ei ôl e, allan drwy'r drws i gyfeiriad y dociau.

• **Cer i 15**

## 5

"Côd syml yw hwn," rwyt ti'n dweud.

Rwyt ti'n cydio yn y papur, yn ei roi i wynebu drych, ac yn darllen y neges:

"Yfory!" rwyt ti'n ebychu. "Diemwnt Koh-i-Nor yw un o'r eitemau yn yr Arddangosfa Fawr yn Hyde Park. Mae'n amlwg fod y Rwsiaid a'r Frawdoliaeth wedi trefnu cyfarfod yno. Lle da i gwrdd, gan fod cymaint o bobl yno. Fe ddylen ninnau fod yno hefyd!"

Rwyt ti'n dweud nos da wrth yr Arolygydd a Syr Archibald, ac yn mynd i dy wely. Tybed beth fydd yn digwydd yfory?

- **Cer i 23**

## 6

Rwyt ti'n nesáu at y dyn barfog – mae arogl cyfarwydd iawn arno. Ond wyt ti'n cofio ym mha boced roddodd e'r papur?

- **Os wyt ti'n dewis dwyn o'r boced chwith, cer i 21**
- **Os wyt ti'n dewis dwyn o'r boced dde, cer i 46**
- **Os wyt ti'n penderfynu peidio â dwyn oddi wrtho, a dim ond ei ddilyn e, cer i 16**

## 7

Rwyt ti'n rasio ar ôl y cerbyd, ond dwyt ti ddim yn ddigon cyflym – mae'r cerbyd yn pellhau.

Pan wyt ti ar fin rhoi'r gorau iddi, mae ceffyl a chert yn croesi'r ffordd o flaen y cerbyd, a'i orfodi i aros.

Rwyt ti wedi cyrraedd at y cerbyd o fewn eiliadau. Ond beth ddylet ti ei wneud?

- **Os wyt ti'n penderfynu saethu'r gyrrwr, cer i 17**
- **Os wyt ti eisiau dringo i mewn i'r cerbyd, cer i 2**
- **Os wyt ti eisiau neidio ar ben y cerbyd, cer i 31**

## 8

"Cuddio? Na, fe arhosa i fan hyn," rwyt ti'n dweud wrth yr Arolygydd. "I geisio denu'r dynion drwg yma allan." Mae'r Arolygydd yn brysio i gyfeiriad y brif fynedfa.

Rwyt ti'n edrych o dy amgylch, gan chwilio am unrhyw wynebau amheus, ond does yno neb sy'n dal dy lygad. Mae'r munudau'n pasio. Rwyt ti'n edrych ar dy oriawr – mae hi ymhell wedi hanner dydd erbyn hyn. Mae'n rhaid i ti benderfynu – wyt ti am aros ble rwyt ti, neu wyt ti am fynd i guddio?

- **Os wyt ti'n symud i'r oriel gerllaw, cer i 3**
- **Os wyt ti'n symud i'r oriel uwch, cer i 47**
- **Os wyt ti'n aros ble rwyt ti, cer i 30**

## 9

"Rydych chi wedi dweud celwydd wrtha i, ddynion," rwyt ti'n dweud. "Ewch o'ma ar unwaith os gwelwch yn dda."

Maen nhw'n protestio, ond rwyt ti'n mynd â nhw at y drws ac yna yn ail-ddechrau darllen.

Fyddi di byth yn gwybod pam oedd angen help arnyn nhw. Mae dy falchder wedi difetha unrhyw gyfle gei di i fod yn arwr.

- **Os wyt ti eisiau dechrau'r antur eto, cer yn ôl i 1**

## 10

Rwyt ti'n estyn y darn papur gymeraist ti oddi wrth yrrwr y cerbyd, ac yn edrych arno gyda'r darn newydd o bapur.

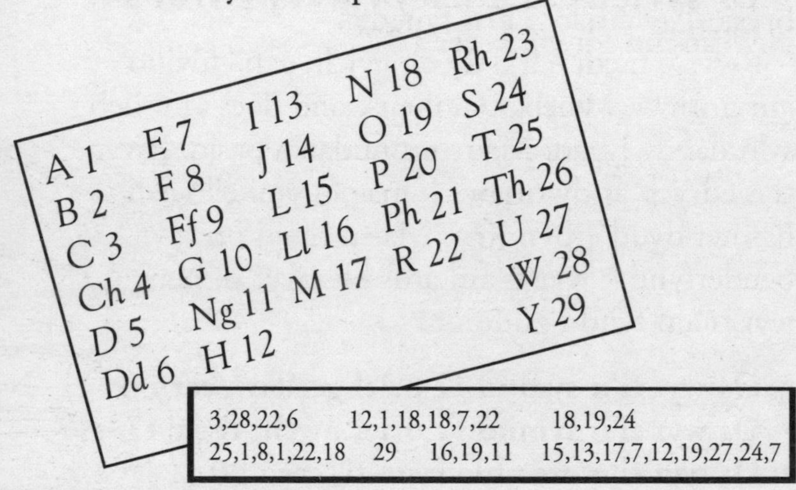


- **Os wyt ti eisiau mynd i Limehouse am hanner nos, cer i 43**
- **Os wyt ti eisiau mynd i Dŵr Llundain ar unwaith, cer i 41**

## 11

Rwyt ti'n rhedeg ar ei ôl, ond mae'r dyn barfog yn rhy gyflym i ti ei ddal. Cyn bo hir, rwyt ti wedi ei golli. Rwyt ti'n edrych o gwmpas yn wyllt. O gornel dy lygad, rwyt ti'n credu i ti weld y dyn yn diflannu i ale dywyll, ond dwyt ti ddim yn siŵr.

- **Os wyt ti eisiau mynd i lawr yr ale, cer i 20**
- **Os wyt ti eisiau mynd yn ôl at y gyrrwr a chwilio am gliwiau, cer i 27**

## 12

Rwyt ti'n estyn dy rifolfer, yn anelu, ac yn gwasgu'r glicied. Mae yna glec wrth i'r dyn barfog gwympo i'r llawr.

Mae pawb yn y neuadd yn sgrechian a gweiddi ac yn rhuthro at y drysau.

Yng nghanol y dryswch, rwyt ti'n mynd draw at y dyn. Wrth i ti blygu drosto, mae plismon yn rhuthro atat ti ac yn dy daro gyda'i bastwn pren. Rwyt ti'n cwympo i'r llawr, yn anymwybodol.

- **Cer i 18**

## 13

Rwyt ti'n arbenigwr ar guddwisg ac rwyt ti'n treulio'r awr nesaf yn newid dy hun i edrych fel hen forwr. Rwyt ti'n edrych yn y drych ac yn gwenu – fydd neb yn dy nabod di wedi dy wisgo fel hyn.

- **Cer i 33**

## 14

Wrth i ti eistedd eto, rwyt ti'n cael cip ar y papur yr oeddet ti'n ei ddarllen. Mae llun o Mr Brown ar y dudalen flaen! Ond mae enw gwahanol o dan y llun. Mae'r Arolygydd Bowles yn dweud celwydd.

- **Os wyt ti'n flin gyda nhw am ddweud celwydd, cer i 9**
- **Os wyt ti eisiau herio 'Mr Brown' gyda'r wybodaeth newydd yma, cer i 28**

## 15

Rwyt ti'n rhuthro i gyfeiriad y dociau ac yn cael cip ar y dyn barfog yn mynd i mewn i warws ger yr afon. Rwyt ti'n brysio at y warws ac yn mynd i mewn yno.

Mae'r unig olau yn dod o lamp olew. Does dim golwg o'r dyn barfog, ond mae drws o dy flaen. I'r dde, mae byrnau o gotwm a bocsys pren mawr. Beth ddylet ti ei wneud?

- **Os wyt ti eisiau mynd drwy'r drws, cer i 20**
- **Os wyt ti eisiau archwilio'r bocsys pren, cer i 22**

## 16

Mae'r dyn yn mynd i mewn i Hyde Park ac yn troi i gyfeiriad y llyn. Rwyt ti'n ei ddilyn o bell.

Yn sydyn, mae e'n troi i dy wynebu. Mae ganddo wn yn ei law. "Oeddet ti wir yn credu nad o'n i'n gwybod fod rhywun yn fy nilyn i?"

Cyn dy fod ti'n gallu symud, mae sŵn dryll yn tanio ac rwyt ti'n teimlo poen sydyn. Rwyt ti'n edrych i lawr ac yn gweld gwaed yn dod allan o dy frest. Dyna'r peth olaf rwyt ti'n ei weld wrth i ti gwympo i'r llawr.

- **Rwyt ti wedi talu'r pris eithaf. Os wyt ti eisiau dechrau dy antur eto, cer i 1**

## 17

Rwyt ti'n anelu at y gyrrwr ac yn gwasgu'r glicied. Mae e'n cwympo allan o'r cerbyd i'r stryd.

Rwyt ti'n rhuthro draw ac yn penlinio drosto. Mae pwll o waed yn lledu dros wyneb y ffordd. Gyda'i anadl olaf, mae'r gyrrwr yn pwyntio at y cerbyd ac yn sibrwd, "Tu mewn…"

- **Os wyt ti eisiau edrych tu mewn i'r cerbyd, cer i 2**
- **Os wyt ti eisiau chwilio ym mhocedi'r gŵr am gliwiau, cer i 37**

## 18

Rwyt ti'n deffro mewn cell heddlu.

Mae'r Arolygydd Bowles yn dod i mewn. Mae e'n grac. "Pam ar wyneb y ddaear wnest ti saethu rhywun heb wybod pwy oedd e?"

"Roedd e'n edrych yn amheus," rwyt ti'n ateb. "Ro'n i'n meddwl ei fod e'n aelod o Frawdoliaeth y Weddw Ddu."

Mae'r Arolygydd yn syllu arnat ti. "Fe wnest ti ymddwyn yn dwp iawn. Rydyn ni wedi colli pob cyfle am wybodaeth nawr. Mae Syr Archibald yn grac – rwyt ti wedi siomi dy wlad."

- **Mae dy antur ar ben. Os wyt ti eisiau dechrau eto, cer i 1**

## 19

Cyn i Archibald gael cyfle i ymateb, rwyt ti'n taflu'r lamp olew at y cotwm. Mae'r byrnau'n fflamio ac mae'r tân yn lledaenu'n gyflym.

Gyda gwaedd o ddicter, mae Archibald yn saethu atat ti, ond rwyt ti'n plygu o'r ffordd. Cyn hir fe fydd y tân yn cyrraedd y bocsys pren. Rwyt ti'n rhuthro at y drws. Mae Archibald yn tanio eto drwy'r fflamau.

Wrth i ti gyrraedd y drws mae ffrwydrad anferth. Mae nerth y ffrwydrad yn dy daflu allan o'r warws ac rwyt ti'n glanio ar gerrig heol y dociau. Trwy lygaid syn, rwyt ti'n gweld y warws yn wenfflam. Yna, rwyt ti'n llewygu.

- **Cer i 50**

## 20

Rwyt ti'n camu ymlaen, gan syllu i'r tywyllwch. Mae'n anodd gweld, felly rwyt ti'n symud ymlaen yn araf, gyda dy rifolfer yn dy law.

Yn sydyn, daw sŵn o'r tu ôl i ti. Rwyt ti'n troi, ond cyn i ti gael cyfle i danio, mae rhywun yn dy daro ar dy ben, ac rwyt ti'n cwympo'n anymwybodol i'r llawr.

- **Cer i 48**

## 21

Mae'r dyn yn troi atat ti.

Mae fflach o ddur ac rwyt ti'n teimlo poen siarp yn dy ochr. Mae'r dyn yn camu'n ôl. Mae ganddo ddagr yn ei law. Rwyt ti'n edrych i lawr ac yn gweld y gwaed yn llifo. Rwyt ti'n cydio yn dy ochr ac yn ceisio gweiddi am help wrth i ti gwympo i'r llawr, ond does dim gobaith.

- **Mae dy antur ar ben. Os wyt ti eisiau dechrau eto, cer i 1**

## 22

Rwyt ti'n mynd â'r lamp olew draw at y bocsys pren. Yng ngolau'r lamp, rwyt ti'n darllen yr ysgrifen sydd wedi ei ysgrifennu ar y pren: HALE & Co.

Rwyt ti wedi dod o hyd i'r rocedi! Ond cyn i ti gael cyfle i agor y bocsys, mae'r dyn barfog yn camu allan o'r cysgodion. Mae ganddo rifolfer, ac mae e'n anelu atat ti.

"Bu bron iawn i ti lwyddo," mae e'n dweud. "Gollwng dy ddryll."

Rwyt ti'n ufuddhau, gan ofyn, "Pwy wyt ti?"

"Aelod o'r Frawdoliaeth." Mae e'n estyn am ei farf ac yn ei thynnu. Barf ffug yw hi. Rwyt ti'n synnu wrth i ti weld pwy sy'n sefyll yno.

"Syr Archibald! Y bradwr! Pam?"

"Er mwyn cael bod yn aelod o'r tîm sy'n ennill – yn wahanol i ti! A beth bynnag, fe fydd y Rwsiaid yn talu'n dda am y rocedi yma… Ond yn gyntaf, rhaid i mi roi diwedd ar dy fusnesa di."

Beth wyt ti am wneud?

- **Os wyt ti eisiau ymosod ar Syr Archibald, cer i 30**
- **Os wyt ti'n penderfynu taflu'r lamp olew ar y byrnau cotwm, cer i 19**

## 23

Y bore wedyn, rwyt ti'n camu allan o'r tŷ. Mae cerbyd yn aros ar yr ochr arall i'r ffordd.

"Angen reid, meistr?" mae'r gyrrwr yn gofyn.

"Ydw," rwyt ti'n ateb. "Ewch â mi i'r Arddangosfa Fawr yn Hyde Park."

Wrth i ti gamu at y cerbyd, mae'r gwynt yn codi llawes y gyrrwr. Mae tatŵ o bry' copyn du ar ei fraich. Mae'r gyrrwr yn cuddio'r tatŵ ar unwaith.

- **Os wyt ti eisiau camu i mewn i'r cerbyd, cer i 2**
- **Os wyt ti'n ddrwgdybus o'r gyrrwr, cer i 40**

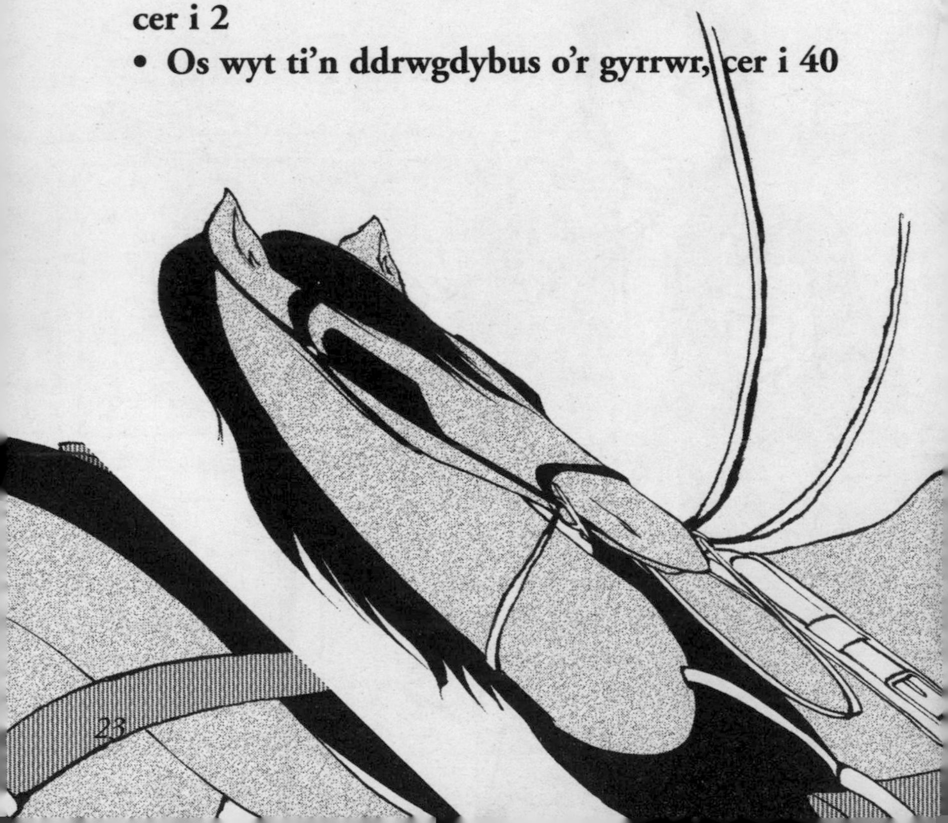

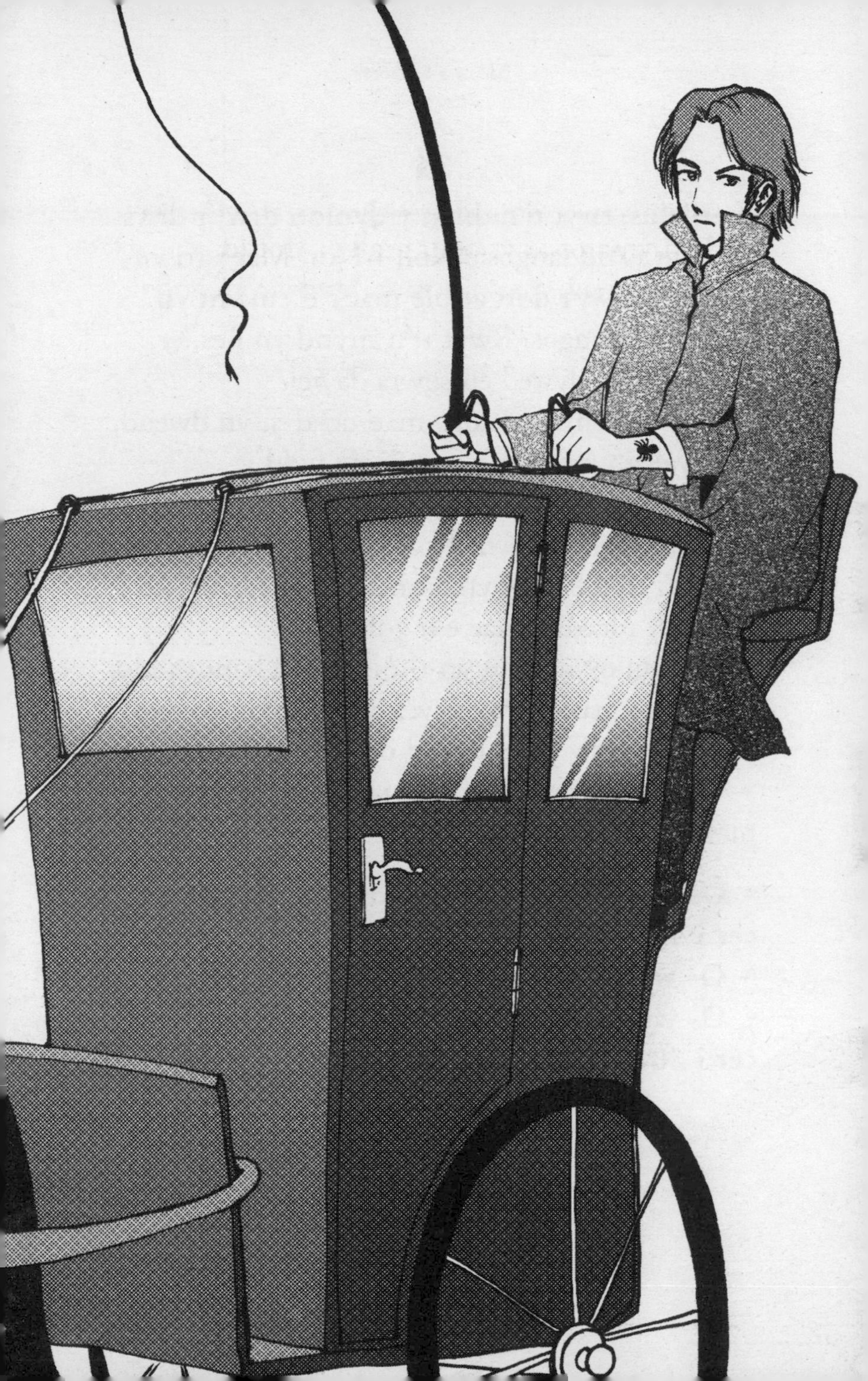

## 24

Yn ofalus, rwyt ti'n dilyn y dynion drwy'r drws i mewn i Arddangosfa Koh-i-Nor. Mae'r tri yn cerdded drwy'r dorf at ble mae'r diemwnt yn cael ei arddangos. Rwyt ti'n mynd yn nes, er mwyn gallu clywed eu sgwrs dawel.

Mewn acen Rwsiaidd, mae un dyn yn dweud, "Unwaith y cawn ni'r rocedi, fe fydd y Prydeinwyr yn cael eu tynnu allan o'r India... yn union fel diemwnt Koh-i-Nor."

Mae'r dyn barfog yn amneidio. "I ble dylwn i ddod â'r rocedi?" mae e'n gofyn.

Mae un o'r dynion yn rhoi darn o bapur iddo. Mae'r dyn barfog yn edrych ar y papur, ac yna'n ei roi e i gadw yn ei boced dde.

"Tan yfory, felly," mae e'n dweud, ac yna mae'n diflannu yn y dorf.

- **Os wyt ti eisiau dilyn y dyn barfog, cer i 42**
- **Os wyt ti eisiau dilyn y ddau ddyn, cer i 34**
- **Os wyt ti am geisio arestio'r tri dyn, cer i 30**

## 25

Gan gydio yn dy rifolfer, rwyt ti'n symud yn araf i mewn i'r coed.

Rwyt ti'n gweld un o'r dynion yn sefyll ychydig droedfeddi o dy flaen.

"Codwch eich dwylo!" rwyt ti'n gorchymyn.

Mae e'n ufuddhau, ond maen nhw wedi dy dwyllo di. Mae yna sŵn tu ôl i ti. Rwyt ti'n troi, ond mae'n rhy hwyr. Mae'r dyn arall yn dy daro ar dy ben gyda charn ei ddryll ac rwyt ti'n llewygu.

- **Cer i 48**

## 26

Mae'r siarad yn tawelu yn y dafarn wrth i bobl droi i syllu arnat ti.

Rwyt ti'n gweld y dyn barfog wrth y bar. Beth ddylet ti ei wneud nawr?

- **Os wyt ti eisiau ymosod arno, cer i 21**
- **Os wyt ti eisiau eistedd i lawr a'i wylio, cer i 30**

## 27

Rwyt ti'n chwilio drwy bocedi'r dyn marw ac yn tynnu darn papur allan o un poced. Rwyt ti'n ei ddarllen.

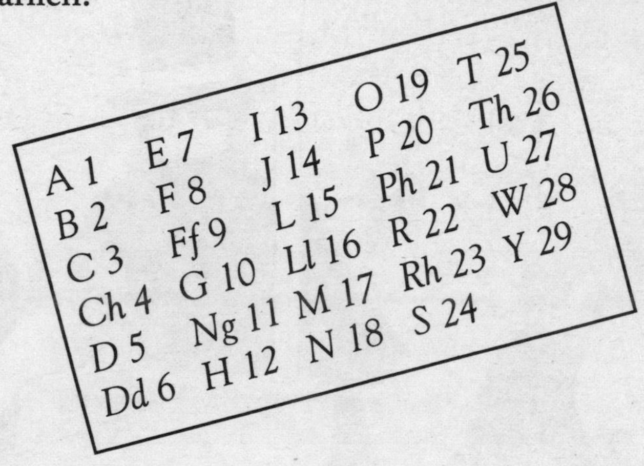


Tybed beth yw ystyr hyn?

Rwyt ti'n chwilio i mewn yn y cerbyd, ond does yna ddim mwy o gliwiau yno. Rwyt ti'n penderfynu mynd i'r Arddangosfa Fawr.

- **Cer i 35**

## 28

Rwyt ti'n ysgwyd dy ben. "Dwi ddim yn hoffi pobl sy'n dweud celwydd wrtha i, Mr Brown… neu a ddylwn i ddweud Syr Archibald Rodgers o'r Swyddfa Dramor? Mae eich llun yn yr *Illustrated London News*."

Mae'r Arolygydd Bowles a Syr Archibald yn ymddiheuro.

"Mae'n ddrwg gen i am geisio eich twyllo," mae Syr Archibald yn dweud. "Doeddwn i ddim eisiau codi ofn arnoch chi, ond mae'r wlad mewn perygl mawr, a dim ond chi all helpu."

- **Os wyt ti'n derbyn yr ymddiheuriad, cer i 44**
- **Os wyt ti'n grac am eu bod nhw wedi dweud celwydd, cer i 9**

## 29

Rwyt ti'n estyn dy rifolfer. "Rydw i yma i achub yr Ymerodraeth! Ildiwch!"

Mae un o'r dynion yn neidio tuag atat. Rwyt ti'n gwasgu'r glicied ac mae e'n cwympo i'r llawr yn farw. Mae'r ail ddyn yn ymosod hefyd, ac rwyt ti'n delio ag e yn yr un ffordd.

Ond yn y dryswch, mae'r dyn barfog yn rhuthro drwy'r drws cefn. Rwyt ti'n ei ddilyn allan i'r tywyllwch ac yn edrych i'r chwith ac i'r dde. Mae un ffordd yn arwain at y dociau, a'r llall yn arwain at ale dywyll.

- **Os wyt ti eisiau rhedeg i lawr yr ale, cer i 20**
- **Os wyt ti eisiau rhedeg i gyfeiriad y dociau, cer i 15**

## 30

Cyn dy fod ti'n gallu symud, mae dyn rhyfedd yr olwg yn sefyll o dy flaen. Mae ganddo bibell denau rhwng ei wefusau. Chwythbib sydd ganddo, ac mae e'n ei hanelu atat ti!

Cyn i ti ddweud gair, rwyt ti'n teimlo poen siarp yn dy wddf. Rwyt ti'n tynnu dart bychan allan o'r croen yno.

Mae'r gwenwyn yn lledu'n gyflym drwy dy gorff, ac rwyt ti'n cwympo i'r llawr.

- **Mae dy antur ar ben. Os wyt ti eisiau dechrau eto, tro yn ôl i 1**

## 31

Rwyt ti'n dringo i ben y cerbyd. Mae'r gyrrwr yn troi ac yn ceisio dy daro gyda'i chwip.

Rwyt ti'n ymladd yn ôl, ond mae e'n llwyddo i dy daro ac rwyt ti'n cwympo. Rhywsut, rwyt ti'n llwyddo i gydio yn nolen y drws, ac rwyt ti'n gafael yn dynn wrth i'r cerbyd ruthro ar hyd y ffordd.

Rwyt ti'n estyn i dy boced am dy rifolfer. Ond wrth i ti anelu at y gyrrwr, mae drws y cerbyd yn agor.

- **Os wyt ti eisiau dringo i mewn i'r cerbyd, cer i 2**
- **Os wyt ti eisiau saethu'r gyrrwr, cer i 17**

## 32

"Dywedwch fwy wrtha i am Frawdoliaeth y Weddw Ddu," rwyt ti'n dweud.

Mae Syr Archibald yn gwgu. "Grŵp o bobl sydd eisiau cael gwared ar yr Ymerodraeth Brydeinig ydyn nhw. Maen nhw'n helpu gelynion Prydain. Ry'n ni'n credu eu bod nhw wedi bod yn ymladd yn rhyfeloedd Opiwm Tsieina ac Affghanistan yn y 1840au."

"Doedden nhw ddim yn llwyddiannus iawn, felly," rwyt ti'n dweud. "Ein gwlad ni enillodd y brwydrau hynny."

"Ond maen nhw'n llwyddo i greu problemau i ni, er hynny," mae Syr Archibald yn dweud.

Rwyt ti'n awyddus i wybod mwy.

"Sawl aelod sy' gan y gymdeithas?"

Mae Syr Archibald yn ysgwyd ei ben. "Dydyn ni ddim yn gwybod. Dwsinau, efallai. Mae gan aelodau'r Frawdoliaeth farc adnabod – tatŵ o bry copyn y Weddw Ddu ar eu braich chwith."

"Pam ydych chi'n credu mai'r Frawdoliaeth sy'n gyfrifol am ddwyn y rocedi?" rwyt ti'n gofyn.

**Er mwyn cael gwybod, cer i 39**

## 33

Rwyt ti'n croesi'r ddinas mewn tacsi, ond yn stopio ac yn cerdded y filltir olaf i Dafarn y Llong.

Mae hi'n noson niwlog, ac mae hi'n anodd gweld y llawr o dy flaen di. O'r diwedd, rwyt ti'n cyrraedd y dafarn. Rwyt ti'n gwthio'r drws ar agor ac yn mynd i mewn i stafell fyglyd, dywyll. Mae'r dafarn yn llawn o forwyr a gweithwyr o bob rhan o'r byd.

- **Os wyt ti'n gwisgo cuddwisg, cer i 45**
- **Os nad wyt ti, cer i 26**

## 34

Rwyt ti'n dilyn y ddau ddyn o bell. Maen nhw'n gadael y Palas Grisial ac yn cerdded drwy Hyde Park, gan fynd i gyfeiriad Palas Buckingham.

Yn sydyn, maen nhw'n dechrau rhedeg. Roedden nhw wedi sylwi arnat ti yn eu dilyn nhw! Rwyt ti'n rhedeg ar eu hôl, ond maen nhw'n llwyddo i dy golli yn y coed.

- **Os wyt ti eisiau eu dilyn i mewn i'r goedwig, cer i 25**
- **Os wyt ti'n penderfynu mynd yn ôl i chwilio am y dyn barfog, cer i 42**

## 35

Rwyt ti'n cyrraedd Hyde Park ac yn cerdded i'r Palas Grisial.

Mae'r adeilad haearn a gwydr yn anferth, ac mae llawer o bobl wedi dod yno i weld yr arddangosfa.

O'r diwedd, rwyt ti'n cyrraedd drws y pafiliwn ble mae'r diemwnt Koh-i-Nor yn cael ei arddangos. Mae'r Arolygydd Bowles yno hefyd, yn aros amdanat ti.

"Rwy'n falch na chefaist ti dy ladd," mae e'n dweud.

"Sut ydych chi'n gwybod am hynny?" rwyt ti'n gofyn.

"Daeth cwnstabl o hyd i'r gyrrwr marw," mae'r Arolygydd yn ateb. "Roedd e'n aelod o'r Frawdoliaeth." Mae'r Arolygydd yn edrych ar ei oriawr. "Mae hi bron yn hanner dydd. Fe af i at brif ddrws y Palas. Aros di yn fan hyn, o'r golwg."

Rwyt ti'n edrych o amgylch, yn chwilio am rywle i guddio. Mae dwy oriel – un i'r ochr, wrth fynedfa'r arddangosfa, ac un arall uwchben, ble rwyt ti'n gallu edrych i lawr ar yr arddangosfa.

- **Os wyt ti eisiau cuddio yn yr oriel gerllaw, cer i 3**
- **Os wyt ti eisiau dringo'r grisiau i'r oriel uwchben, cer i 47**
- **Os nad wyt ti am guddio o gwbl, cer i 8**

## 36

Rwyt ti'n edrych ar y papur. Mae rhifau drosto ym mhobman.

3,28,22,6 12,1,18,18,7,22 18,19,24
25,1,8,1,22,18 29 16,19,11
15,13,17,7,12,19,27,24,7

- **Os wyt ti'n gwybod sut i ddatrys y cod, cer i 10**
- **Os wyt ti eisiau gofyn i'r dyn barfog am y cod, cer i 16**

## 37

Wrth i ti roi dy law ym mhoced y dyn marw, rwyt ti'n clywed drws y cerbyd yn agor. Rwyt ti'n troi ac yn gweld dyn a barf du ganddo yn rhedeg i ffwrdd. Rwyt ti'n saethu ato, ond y tro hwn, dwyt ti ddim yn anelu'n gywir, ac rwyt ti'n methu.

- **Os wyt ti eisiau rhedeg ar ôl y dyn barfog, cer i 11**
- **Os wyt ti eisiau dal ati i chwilio ym mhocedi'r dyn marw, cer i 27**

## 38

Rwyt ti'n aros ychydig funudau cyn dilyn y dyn barfog i mewn i'r ystafell gefn. Mae e'n eistedd wrth fwrdd gyda'r ddau ddyn a welaist ti yn yr Arddangosfa Fawr. Maen nhw'n codi eu llygaid i edrych arnat.

"Pwy wyt ti?" mae un o'r dynion yn gofyn.

- **Os wyt ti am geisio eu twyllo, cer i 4**
- **Os wyt ti'n penderfynu ymosod arnyn nhw, cer i 29**
- **Os wyt ti eisiau gadael yr ystafell, cer i 21**

## 39

Mae Syr Archibald yn dal i siarad. "Rwyt ti'n gwybod, mae'n siŵr, fod pŵer Rwsia yn tyfu. Mae'r Rwsiaid eisiau gyrru Prydain allan o India. Mae asiantau o Rwsia wedi cysylltu gyda'r Frawdoliaeth i ofyn am eu help i wneud hyn. Rydyn ni'n credu fod y Frawdoliaeth am roi'r rocedi newydd yma i'r Rwsiaid. Os wnan nhw lwyddo i wneud hynny, fe allai'r Ymerodraeth Brydeinig gwympo…"

"Sut ydych chi'n gwybod hyn?"

Mae'r Arolygydd Bowles yn ateb, "Roedd gan Scotland Yard asiant cudd yn y Frawdoliaeth."

"*Roedd*?" Rwyt ti'n codi un ael.

Mae'r Arolygydd Bowles yn nodio. "Daethon ni o hyd iddo fe yn afon Tafwys yn gynharach heno, gyda chyllell yn ei gefn. Roedd hwn yn ei boced."

Mae'r Arolygydd yn rhoi darn o bapur i ti.

- **Os wyt ti'n gallu darllen y neges, cer i 5**
- **Os nad wyt ti'n gallu darllen y neges, cer i 49**

## 40

Wrth i ti gamu at y cerbyd, rwyt ti'n rhoi dy law yn dy boced ac yn estyn dy rifolfer. Rwyt ti'n anelu at y gyrrwr.

"Peidiwch â symud. Rydych chi'n aelod o Frawdoliaeth y Weddw Ddu. Rydw i wedi gweld eich tatŵ chi. Pwy anfonodd chi yma ata i?"

Cyn i ti gael ateb ganddo, mae'r gyrrwr yn chwipio'r ceffylau ac mae'r cerbyd yn brysio yn ei flaen.

- **Os wyt ti eisiau saethu at y gyrrwr, cer i 17**
- **Os wyt ti eisiau rhedeg ar ôl y cerbyd, cer i 7**

## 41

Rwyt ti'n gadael yr Arddangosfa. Mae cerbyd wrth y drws.

"Ewch â fi i Dŵr Llundain," rwyt ti'n dweud wrth y gyrrwr.

- **Cer i 2**

## 42

Rwyt ti'n chwilio am y dyn barfog yn y dorf. Rwyt ti'n dechrau meddwl dy fod ti wedi'i golli, pan wyt ti'n sylwi arno yng nghanol criw o bobl sy'n gadael yr Arddangosfa. Rwyt ti'n nesáu ato, gan wneud yn siŵr nad yw e'n sylwi arnat ti.

- **Os wyt ti eisiau dwyn y darn papur o'i boced, cer i 6**
- **Os wyt ti'n penderfynu ei ddilyn e, cer i 16**

## 43

Rwyt ti'n mynd yn ôl adre, ac yn cael cyfle arall i edrych ar y neges.

*Cwrdd Hanner Nos*
*Tafarn y Llong, Limehouse*

Mae Limehouse yn Nwyrain Llundain, yn agos at Afon Tafwys. Mae hi'n ardal beryglus.

- **Os wyt ti'n penderfynu mynd yno mewn cuddwisg, cer i 13**
- **Os nad oes ofn arnat ti, ac rwyt ti'n fodlon mynd yno heb guddwisg, cer i 33**

## 44

"Iawn," rwyt ti'n dweud, "ond gadewch i ni roi'r gorau i'r celwyddau. Nawr, dywedwch wrtha i pam ydych chi yma?"

Mae'r Arolygydd yn dechrau siarad. "Fe glywsoch chi am William Hale?"

Rwyt ti'n nodio dy ben. "Do. Dyfeisiwr Roced Hale, roced 24 pwys – y roced haearn gyntaf sy'n gallu troelli fel bwled dryll. Mae Roced Hale yn fwy cywir a marwol na Roced Congreve, y roced sy'n cael ei defnyddio gan ein milwyr ni ar hyn o bryd. Fe glywais i fod Mr Hale wedi gwerthu cynllun y roced i lawer o wledydd. Mae'r Americanwyr wedi defnyddio'r roced yn ddiweddar, yn y rhyfel ym Mecsico."

Rwyt ti'n creu argraff ar Syr Archibald. "Rwyt ti'n gwybod llawer," mae e'n dweud.

"Mae'n rhaid i chi wybod popeth yn fy swydd i," rwyt ti'n ateb. "Mae'n gallu gwneud y gwahaniaeth rhwng byw a marw."

Mae Syr Archibald yn dal i siarad. "Mae Mr Hale wedi creu roced newydd. Mae'n well, yn fwy cywir, ac yn cynnwys mwy o ffrwydron. Arf marwol iawn. Ddwy noson yn ôl, fe fu lladron yn ei ffatri, ac mae dau focs o'r rocedi wedi cael eu dwyn. Ry'n ni'n credu mai aelodau cymdeithas gudd o'r enw Brawdoliaeth y Weddw Ddu sy' wedi dwyn y rocedi."

- **Os wyt ti eisiau gwybod mwy am y gymdeithas hon, cer i 32**
- **Os wyt ti eisiau gwybod mwy am y lladrad, cer i 39**

## 45

Does yna neb yn cymryd sylw ohonot ti wrth i ti nesáu at y bar ac archebu diod. Rwyt ti'n mynd i eistedd, ble mae cyfle i ti wylio popeth sy'n digwydd.

Ychydig cyn hanner nos, mae'r drws yn agos ac mae'r dyn barfog yn dod i mewn. Mae perchennog y dafarn yn dweud helô wrtho, ac yn pwyntio i gyfeiriad y stafell gefn. Mae'r dyn barfog yn mynd drwy'r drws ac i mewn i'r stafell gefn.

- **Os wyt ti'n penderfynu ei ddilyn, cer i 38**
- **Os wyt ti'n penderfynu ymosod arno, cer i 21**

## 46

Rwyt ti'n nesáu at y dyn ac yn taro i mewn iddo 'ar ddamwain'. Rwyt ti'n gwthio dy law i'w boced ac yn cydio yn y darn papur.

- **Os wyt ti eisiau symud oddi wrtho a darllen y darn papur, cer i 36**
- **Os wyt ti eisiau parhau i ddilyn y dyn, cer i 16**
- **Os wyt ti eisiau dwyn o'i boced arall hefyd, a chwilio am fwy o gliwiau, cer i 21**

## 47

Mae'r Arolygydd yn brysio i ffwrdd ac rwyt ti'n dringo'r grisiau i'r oriel uwchben, i wylio'r fynedfa.

Ar ôl rhai munudau, rwyt ti'n sylwi ar ddyn gyda barf du yn gwthio drwy'r dorf. Mae dau ddyn arall yn camu ymlaen ato, ac yn cyfarch y dyn. Maen nhw'n dod at ddrws yr Arddangosfa Diemwntau. Beth ddylet ti ei wneud?

- **Os wyt ti'n penderfynu saethu'r dyn barfog, cer i 12**
- **Os wyt ti'n penderfynu dilyn y grŵp, cer i 24**

## 48

Rwyt ti'n deffro i weld bod dy ddwylo a dy draed wedi eu clymu'n dynn. Mae hi'n dywyll, ond rwyt ti'n gallu gweld siapiau bocsys mawr pren. Mae sŵn dŵr tu allan. Rwyt ti ar long.

Mae drws yn agor, ac mae dyn gyda barf du yn dod i mewn. Mae e'n cario lamp.

"Pwy wyt ti?" rwyt ti'n gofyn.

Mae e'n tynnu ei lawes yn ôl i ddangos tatŵ o bry copyn y Weddw Ddu. "Rwy'n aelod o'r Frawdoliaeth. Ond chei di byth wybod pwy ydw i go iawn. Rydyn ni'n mynd â'r rocedi yma i Rwsia. Ond rhaid i ni wneud rhywbeth pwysig ar y ffordd yno." Mae e'n gwenu. "Cael gwared arnat ti... i mewn i'r môr!"

**Fedri di ddim dianc. Mae dy antur ar ben. Os wyt ti eisiau dechrau eto, tro yn ôl i 1**

## 49

"Dyw'r neges hon ddim yn gwneud synnwyr," rwyt ti'n dweud.

Mae Syr Archibald yn troi at yr Arolygydd Bowles ac yn gwgu. "A hwn yw ditectif preifat gorau Llundain? Rydyn ni wedi gwneud camgymeriad. Nid chi yw'r dyn i achub yr Ymerodraeth, yn amlwg. Dewch Arolygydd, rhaid i ni ddod o hyd i rywun gwell."

Mae'r ddau yn gadael.

- **Rwyt ti wedi methu. Os wyt ti eisiau dechrau eto, cer yn ôl i 1**

## 50

Wythnos wedi hynny, rwyt ti adre yn gorffwys. Mae cloch y drws yn canu, ac yna mae'r howscipar yn dod â'r Arolygydd Bowles i'r ystafell.

"Rwy'n falch o'ch gweld chi'n gwella," mae e'n dweud. "Dyna sefyllfa anffodus. Pwy fyddai wedi meddwl fod Syr Archibald yn fradwr? Pam ydych chi'n credu y gwnaeth e hynny?"

"Am arian, efallai – neu tybed oedd e eisiau bod yn arwr? Mae cynllwyn y Frawdoliaeth wedi'i ddifetha nawr. Dyw'r Rwsiaid ddim yn gallu ymladd yn erbyn y Prydeinwyr heb y rocedi. Dim ond un peth sy'n fy nrysu i," rwyt ti'n dweud wrth yr Arolygydd. "Yn yr Arddangosfa, roeddwn i'n gallu arogli eich persawr ofnadwy chi ar Syr Archibald."

"Fy mhersawr ofnadwy? Roedd gan y ddau ohonom chwaeth dda, dyna'i gyd!" mae'r Arolygydd yn chwerthin. "Sy'n fy atgoffa i, fe ofynnodd y Frenhines i mi roi hwn i chi." Mae'r Arolygydd yn estyn i'w boced, yn tynnu cas ledr ohono ac yn ei roi i ti.

"Wrth gwrs, chewch chi ddim sôn wrth neb am yr hyn ddigwyddodd…" mae e'n ychwanegu.

Rwyt ti'n agor y cas lledr. Mae medal aur lachar yn disgleirio yn y cas.

"Fe wnest ti helpu i achub yr Ymerodraeth rhag ein gelynion. Rwyt ti'n arwr!"

# Arwr y Môr-ladron

Steve Barlow - Steve Skidmore

Darluniau gan Sonia Leong

Addasiad gan Catrin Hughes

Rwyt ti'n anturiaethwr yn ystod teyrnasiad Brenhines Elisabeth I.

Ers i Elisabeth ddod yn frenhines, mae'r Brenin Philip II o Sbaen wedi bod eisiau ymosod ar dy wlad. Mae Elisabeth a'i llynges yn rhy wan i ymladd Sbaen; felly, yn gyfrinachol, mae'r Frenhines yn cyflogi pobl i ymosod ar longau Sbaen.

Y dewraf a'r mwyaf llwyddiannus o'r rhain yw Francis Drake. Mae e'n codi cymaint o ofn ar y Sbaenwyr nes eu bod yn ei alw'n 'El Draco' – 'Y Ddraig'.

Mae Drake a'i frawd, John, yn hwylio o Plymouth ym mis Mai 1572. Mae ganddynt ddwy long, y *Pasha* a'r *Swan*, a 73 o forwyr. Rwyt ti'n hwylio gyda nhw.

Ar ôl sawl wythnos yn hwylio dros Fôr Iwerydd, rwyt ti'n cyrraedd y Caribî, a harbwr cyfrinachol Porthladd Digonedd. Daeth Francis Drake o hyd i'r harbwr ar fôrdeithiau cynharach. Nawr, rwyt ti ar fin taro yn erbyn y Sbaenwyr am y tro cyntaf drwy ymosod ar harbwr Nombre de Dios.

DEWIS DY DYNGED
ARWR
Arwr y Môr-ladron
Steve Barlow - Steve Skidmore
Addasiad Catrin Hughes

ARWR

Os wyt ti wedi mwynhau darllen

**Arwr yr Ymerodraeth**

mae rhagor o deitlau yn
y gyfres Arwr.

**Arwr y Gofod**
978-1-904357-68-1

**Arwr y Môr-ladron**
978-1-904357-69-8

**Arwr y Groegiaid**
978-1-904357-72-8

**Arwr y Llychlynwyr**
978-1-904357-71-1

**Arwr yr Ail Ryfel Byd**
978-1-904357-70-4

**Arwr y Rhufeiniaid**
978-1-904357-74-2

**Arwr y Tîm Taro**
978-1-904357-75-9

---

**www.rily.co.uk**